Moll a Meg

mynd am dro ... i'r parti

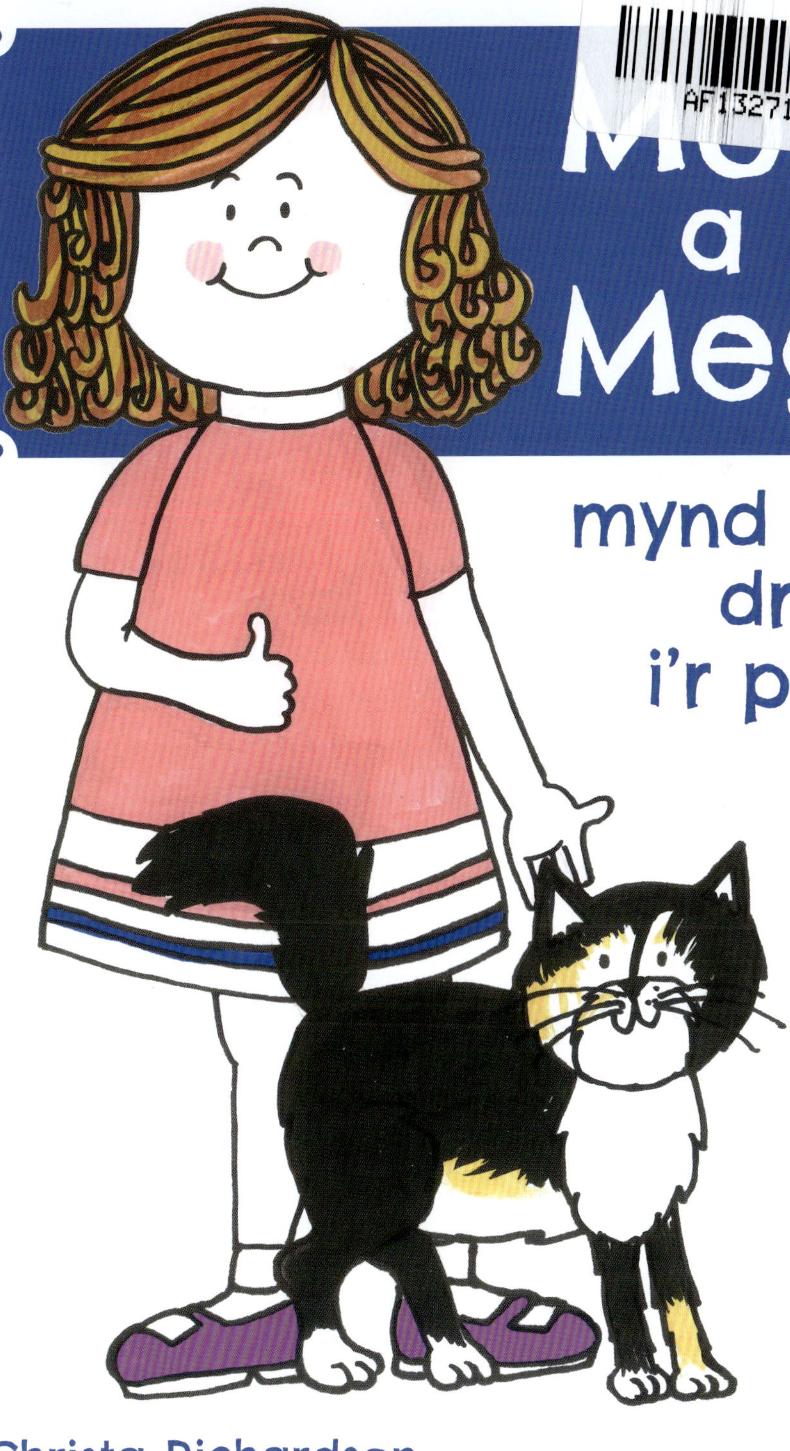

Christa Richardson

© CAA Cymru 2020
CAA Cymru – un o frandiau Atebol

Argraffwyd yn wreiddiol yn 2018
Argraffwyd yr argraffiad newydd cyntaf yn 2020
Ail argraffwyd yn 2021

Cyhoeddwyd yng Nghymru yn 2021 gan CAA Cymru, Adeiladau'r Fagwyr, Llanfihangel Genau'r Glyn, Aberystwyth, Ceredigion SY24 5AQ

Ariennir yn rhannol gan Lywodraeth Cymru fel rhan o'i rhaglen gomisiynu adnoddau addysgu a dysgu Cymraeg a dwyieithog

Byd Addysg
In Education

Ariennir yn Rhannol gan
Lywodraeth Cymru
Part Funded by
Welsh Government

Mae hawlfraint ar y deunyddiau hyn. Ni chaniateir atgynhyrchu unrhyw ran o'r cyhoeddiad hwn na'i throsglwyddo ar unrhyw ffurf neu drwy unrhyw fodd, electronig neu fecanyddol, gan gynnwys llungopïo, recordio neu drwy gyfrwng unrhyw system storio ac adfer, heb ganiatâd ysgrifenedig ymlaen llaw gan y cyhoeddwr neu drwydded sy'n caniatáu copïo cyfyngedig yn y Deyrnas Unedig gan y *Copyright Licensing Agency (CLA)*. Am fanylion pellach am Drwydded Addysg CLA ewch i www.educationplatform.co.uk neu www.cla.co.uk. Gallwch hefyd anfon e-bost at education.customers@cla.co.uk

Cedwir pob hawl

Argraffwyd a rhwymwyd yng Nghymru gan Argraffwyr Cambria, Aberystwyth

ISBN: 978-1-84521-638-2

Mae cofnod catalog ar gyfer y cyhoeddiad hwn ar gael yn Llyfrgell Genedlaethol Cymru a'r Llyfrgell Brydeinig

Cydnabyddiaethau
Diolch i Sarah Davies, Chloe Edwards, Siân Pryce Edwards a Sharon Jones am eu harweiniad gwerthfawr

www.atebol.com

Dyma Moli.

Dyma Meg.

Mae Moli a Meg yn ffrindiau da.

Mae Moli a Meg yn mynd i barti Llew. Mae Meg wedi prynu anrheg pen-blwydd i Llew.

Dyma Moli a Meg yn rhoi'r anrheg i Llew.
Mae Llew wrth ei fodd gyda'r anrheg.
Pêl-droed liwgar.

Mae hi'n amser bwyd.
Mae llond plât o fwyd blasus gyda
Meg. Mae Moli yn mwynhau llyfu'r
llaeth yn ei soser!

Dyma gacen pen-blwydd Llew.
Sawl cannwyll sydd ar y gacen?
Un, dwy, tair, pedair, pump cannwyll.
Mae Llew yn bump oed.

Mae Meg a Moli wedi bwyta llond eu boliau!
Ac maen nhw wedi cael llawer o hwyl a sbri.
Dyna barti pen-blwydd da!
Diolch, Llew.

Mae Moli a Meg yn hoffi mynd i barti.

Hwyl fawr, Moli!
Hwyl fawr, Meg!